CW00420894

Grawn Gwirionedd

John FitzGerald
Carmeliad

Cyhoeddiadau Barddas
2006

Argraffiad cyntaf: 2006

ISBN 1 900437 89 9

Cyhoeddwyd gyda chymorth ariannol
Cyngor Llyfrau Cymru.

Cyhoeddwyd gan Gyhoeddiadau Barddas

Argraffwyd gan Wasg Dinefwr, Llandybïe

I'm
Cyfeillion Cymraeg
yn Aberystwyth a'r Cylch
yn enwedig –
ac mewn mannau eraill hefyd!

Rhagair

Paham 'Grawn Gwirionedd'? Mewn llawer dull a modd y daw gwirionedd inni, fesul gronyn; fe ddaw trwy gyfrwng ymchwil o bob math, wrth olrhain atebion i broblemau; fe ddaw hefyd wrth i ddyn gydnabod dirgelwch a rhyfeddu ato. Mae'r mannau cychwyn yn y naill gyfrwng a'r llall yn rawn a dyf ynom o gael sylw priodol. Un dull o ymgydnabod â'r gwirionedd yw barddoniaeth, gredaf i, nes bod modd ystyried cerddi hefyd yn rawn a all egino a thyfu ym meddwl y bardd a'i gynulleidfa, a hynny weithiau tua'r tu hwnt i'r hyn a welir, i'r hyn a ddywedir.

Ers rhyw ddeugain mlynedd yr wyf wedi prydyddu a cheisio barddoni yn Gymraeg, gan ymorol am fynegi, ie, am gydnabod yn y modd hwn beth o'r gwir sydd yn amgenach nag y gellir ei fynegi. Fe all barddoni fod yn gellweirus, yn drist ac yn llawen, yn chwareus ac o ddifrif calon. Fe fydd y bardd, ar ei orau, yn gwisgo masg, fel y gwneid yn yr hen ddramâu Groeg. Ni fydd serch hynny heb ymgyrraedd at y gwir. "Nes na'r hanesydd at y gwir di-goll ydyw'r dramodydd sydd yn gelwydd oll", ie; a dramodydd yw'r bardd yntau. Yn ei *Farddoneg*, *poietike*, mae Aristoteles yn cynnwys bardd a dramodydd dan yr un pennawd, ac yn awgrymu (yn gellweirus?) fod barddoniaeth yn fwy cyrhaeddgar na hanesyddiaeth.

Aderyn brith wyf innau. Yn Lloegr y cefais fy ngeni, a Saesneg (gydag acen Swydd Ceri) oedd iaith fy mam. O ran teulu a thras, Gwyddel wyf heb os; ond er pan ddechreuais ddysgu Cymraeg ym mis Ionawr 1940 rwyf wedi ei chael yn fwyfwy cartrefol. Tybiais weithiau fod agosrwydd yr iaith Wyddeleg yn fy achau wedi geni ynof barodrwydd i gymryd at y Gymraeg. Sut bynnag, mae'n rhyfedd gen i fod y bardd gan R. S. Thomas wedi sylweddoli nad yn Gymraeg yr oedd ei awen yn gweithio, a minnau wedi cael y profiad gwrthwyneb.

Yn fy arddegau mi roddais gynnig ar ryw brydyddu yn Saesneg, ac yna, wedi troi o ddifrif at y Clasuron, yn Lladin a Groeg. Yn fyfyriwr yn Iwerddon, Rhufain a Chaergrawnt parhau i wella fy Nghymraeg a wneuthum, yn ddiau. Eithr wedi imi ddychwelyd i Gymru yn y pumdegau, cyngor cyfaill imi oedd y dylwn ddyfnhau fy ngafael ar deithi'r iaith. Y ffordd i wneud hynny oedd darllen yn helaeth (peth yr oeddwn wedi dechrau ei wneud pan oeddwn i ffwrdd) ac ymgydnabod â barddoniaeth yn arbennig. Yn fuan, pam na ddysgwn brydyddu yn Gymraeg fy hunan? Mi fedrwn lunio llinellau yn y mesurau caeth Lladin a Groeg; beth am fynd ati i wneud yn gyffelyb yn Gymraeg? Nid yw'r cynigion cyntaf hynny yn ymddangos yn y gyfrol hon. A'r gwahaniaeth mawr oedd fod cymdeithas helaeth o feirdd a phrydyddion a beirniaid byw o'm cwmpas yn Gymraeg.

Mae'r gyfrol gyntaf o'm cerddi, *Cadwyn Cenedl*, wedi hen fynd allan o brint. Fe'i cyhoeddwyd gan y Parch. D. Ben Rees yn un o'i Gyhoeddiadau Modern Cymreig, diolch iddo, yn y gyfres a olygwyd gan y Parch J. Eirian Davies, coffa da amdano. Mae'r gyfrol bresennol yn ail-gyflwyno cynnwys y gyfrol gyntaf honno ynghyd â bron cymaint eto o gerddi a wnaed oddi ar hynny. Yr wyf yn arbennig o ddiolchgar i'r Prifardd Alan Llwyd am dderbyn y gyfrol hon i'w chyhoeddi dan nawdd *Barddas*, ac am ei gefnogaeth ers sawl blwyddyn.

Ni fydd neb yn synnu, gobeithio, fod tipyn go lew o'r cynnwys yn dal i fod yng nghywair gweddi. Wedi'r cwbl, rwyf yn frawd mewn Urdd lle megir gweddi ysgrythurol, a'i hannog i bawb arall hefyd.

Mae ambell i gyfieithiad yn debyg o godi cwestiwn, serch hynny, yn enwedig y *Weddi ar Aphrodite* o waith Sappho. Nid wyf i, chwarae teg, yn dueddol o weddïo ar Aphrodite; ac o graffu ar beth y mae hi'n ei wneud yn y gerdd nid yw'n eglur a yw Sappho ei hun yn gweddïo. Yn hytrach cyflwyno darlun ohoni'i hun yn gweddïo a wna, a darlun o'r dduwies yn dyfod a glanio i roi ateb coeg sydd er hynny'n llawn cydymdeimlad. Paham y cyfieithiais y gerdd hon? Oherwydd ei bod yn un o uchafbwyntiau barddoniaeth y byd. Mae'n taer fynegi nwyd, ie, a chwant rhywiol, ac ar yr un pryd yn taflunio'r dduwies serch yn un sy'n cael hwyl am ben carwriaethau Sappho. Tyndra nwyd ynghyd â chwerthin am ben y nwyd yr un pryd, a hynny'n ysgafn ddeheuig. Gwyn ei byd y bardd a allodd gyflawni'r fath gampwaith.

Heb fod yn annhebyg, mi gyfieithiais gerdd Kafaffis gyda blas anghyffredin. *Apistia*, 'Anffydd', pennawd sy'n amwys rhwng cyfleu anffyddlondeb Apolo a siom Thetis fel na all hi roi ei ffydd mwyach ar y duw hwnnw – testun cŵyn Platon, am fod hynny'n sarhad ar ddwyfoldeb. Mae hyn hefyd yn wirionedd am beth a all ddod yn rhan o'n profiadau dynol. *Homo sum; humani nil a me alienum puto*: "Dyn wyf; nid wyf yn cyfrif dim dynol yn estron i mi".

Cynnwys

Iaith wâr 11
Bro astud 11
Calan 1960 12
Cawr Mawr Bychan 13
Bodolyn 14
Annwyd yn llen am ben y bardd . . . 15
Ffoadur 16
Ar ôl y Cymun 21
Duw cudd, Duw ffydd 22
Yn ystod yr Offeren 23
Cainc y Grawys 24
I'r tresi aur ym Mehefin 25
Ymson y Brawd Gwyn 26
Oni chredwch-chwi? 27
Luc 1:26-38 28
Luc 1:39-56 28
Video meliora proboque,
deteriora sequor 29
Traddodiad 30
Sacramentum Vitae 31
Pasg 1963 32
'Sefwch allan . . .' 33
Y Gwynt 34
Trydan 35
O *SACRUM CONVIVIUM* 36
Iorddonen 37
Gofyn gwyrth 38
Nid oes iawn gyfaill ond un 39
Stori fer 40
Torri trwodd 41
Cofnod 42
Pedair elfen 43
Dros amryw ohonom 44
Caerfyrddin 45
Aberfan 46
Carol 1966 47
Symffoni anorffenedig 48
Mewn synagog 50
Gwahanglwyf 51
Jeu d'esprit 52
I amryw ddeuoedd ohonoch 53
I'm gwraig 54
Cân yr enaid 55
Wrth ddod i'r byd 56
Caer Droea 57
Y tŷ hwnt 59
I Áine yn ddeunaw oed 60
I PJD yn ddeugain 60
Tre-gib: cof am a fu 61
I'r Tad Teyrnon Williams 62
I Gwenllïan Roberts-Knighton
a'i gŵr Donald 62
Taizé 63
O'r dyfnder 64
Laudate Dominum 65
Omnes gentes 66
Nada te turbe 67
Derbyn bod 68
Tadolaeth 69

CYFIEITHIADAU
Ag Críost an síol 70
Magwraeth 71
'Gweddi ar Aphrodite' 72
Y llwynog a'r draenog 73
Anffydd 74

Iaith wâr

Iaith wâr Sir Gâr a gerais, – iaith dirion,
afradlon, hyfrydlais.
Rhan a chartref a gefais
yn ei swyn, a minnau'n Sais.

1959

Bro astud

Bro astud Aberystwyth, – bro addysg,
bro breuddwyd y tylwyth
a gadwer byth rhag adwyth
a pharhaed i ddwyn ei ffrwyth.

2005

Calan 1960

Gwag yw'r bydysawd, ond bod sêr
yn cyrchu drwyddo;
gwacter anfeidrol, ond bod yma a thraw
ryw heidiau sêr, yn ymbellhau o hyd
oddi wrth ei gilydd, fesul cwmwl gwych
yn treigl droelli'n nwy ar dân
drwy nos ddiwaelod.

Nyni, ddynionach, ar ein pelen fach o fyd
o gylch un haul yn hedfan, seren lai
ar ymyl cenfaint sêr
sy'n rhuthro dros ba ddibyn i ba fôr?
Nid troi yn ein hunfan chwaith a wnawn, ond troi
tu mewn i dröell, yn dro tu mewn i dro,
a'r chwyrligwgan yn chwyrlïo ymlaen
o ble ymlaen i ble?

Gwagedd o wagedd, nid oes dim a saif,
na safbwynt heblaw'r symud: 'hir yw byth'.
Ac eto ni sy'n deall, ni
sy'n gosod rhif ar ofod, mesur ar y sêr,
a threfn ar lithro amser, heb weld dim
byd newydd dan yr haul.

(Yma, chwedl ninnau, ac yn awr,
fe ddarfu am y llynedd, pum deg naw,
ar ddechrau'r flwyddyn newydd, chwe deg dim.
Gollyngwyd i ddifancoll gof am Ŵr
a roddodd fod i'r sêr cyn cyfrif, ac a fu
yn ddechrau cyfrif yn y flwyddyn un).

Cawr Mawr Bychan

Yn dy gôl
Gorffwys mae'r symud eang;
ynot ti rhedeg yn ddiysgog y mae'r sêr;
a dyma siglo crud
yn blisgyn clyd i ddal dy gyntun di.

(Trwsgl fy nhafod, Iôr; a'm geiriau gorau –
prin y cyffyrddan nhw â godre'r gwir.)

Heno,
newydd dy eni,
hŷn wyt na'r goleuni hynaf, a ddaeth
drwy nos aneirif gofod pell yn glau
hyd nes i ddynion weld, o'r diwedd, echdoe'r sêr;
yn y dechreuad yr wyt-ti, gyda'r Tad.

Heno,
A gair dy nerth yn llond pob lle, pob amser,
tewi'r wyt,
wedi cael cysgu yng ngwair dy wâl
am y tro cyntaf, a dechrau dysgu
adnabod dy fam.

Nadolig 1960

Bodolyn

— Tu mewn i'm corff
does neb ond un yn byw.
— Tu mewn i'th groen,
lle mae e, a phwy yw?
— Yn fy nghalon, yn fy mhen, yn f'ymennydd,
yn fy nhraed;
yn fy mola, a'r lle ola,
yn fy ngwaed:
neb ond un.
— Wyt ti'n siŵr dy fod-di
ar dy ben dy hun?

1960-61

Annwyd yn llen am ben y bardd

Ar flaen y penrhyn hwn
ni rodiaf fyth,
ond syllu i lan o waelod deulyn blin
oddeutu'r bryncyn blwng . . .

Pendroni a wnaf yn swrth
rhag amled yr ogofeydd fan yma sydd
tu mewn i'r mynydd gwalltog,
yr ynys benglog biws,
a'u llond o wifrau pigog heini eu clyw
rhag colli poen.

1961

Ffoadur

I

Ar fore Dydd Mawrth
bu rhwygo drwy sidan y cyfddydd, bu saethu
hyd felfed gwreichionnog y mudandod gwag
ar wibdaith ddihangol, a gadael sadle traed.
Ffrwydrodd y bore hwnnw ar ein hôl.
Nawn yno ni bu, nac ymachlud.
Chwalwyd byd.
Bu haul, haul lle bu hil, lle bu aelwyd, ac yna'n ulw
lle bu daear mae lludw
ar wasgar yn enfys lachar ar odre nos.

II

Bu breuddwyd cyn gwawr y dihuno:
brasgamai dynion trwy ardd eu paradwys
a'r cread dan draed.
Diwellid pob newyn
ond gwanc y galon;
dilëid pob haint
gan ddifa'r blas o'r bara;
datrysid pob problem, ond un:

Meistri'r ddaear gron am ddiogelu eu stad
gan gasglu tywod i ategu byw,
yn plannu coed er mwyn y plant na thyfent,
a chodi tai unnos ar fin traeth
y dyfroedd trymion dan law dynion y dilyw dall;

Meistri tir a môr ac awyr,
dan swmbwl hen ansicrwydd yn y gwaed,
yn taer ymestyn i rychwantu'r sêr

rhwng bys a bawd
a bedyddio'r bydysawd yn enw dyn.

III

Ar Fore Dydd Mawrth
fe fu llu llawen
i'n cynhebrwng o'r byd,
i'n datglymu o'r groth a'n datblethu o'r côl,
a'n diddyfnu o'r ddaear yn rhydd.

Yn llon y cludasom i'n harch
(y tri llanc, heb ymglywed â'n llwyth)
hen faich y bwch, hen flinder byd yn dyheu
am fro ddihalog, a gwladfa rhwng y sêr
yn lloches rhag gormes Cain.

Yn obeithlon y'n gyrrwyd ni ymhell
(er i ddychryn ddodwy'n anesgor o agos ers tro byd)
i ledaenu'r gororau rhag braw.
Yn wirion blagurwyd ni'n flaendardd i estyn brig y pren
o wreiddyn brau.
Ni bu troi, gartref, ar fryd.
Ni bu raid ond i ddyrnaid o fysedd oer am y byd
wasgu'n ysgafndrwm bob un ar fotwm ei fom
i chwalu'r gwraidd, a'r bôn.

Yn fodlon y ffoesom siwrnai, ninnau'n tri,
i libart y pellterau, breuddwyd braf,
a'n bryd ar orfoleddu adre'n ôl.
Dychwelyd ni bu: bu dihuno
wedi sbonc yr ymadael,
bu gweld
dadmer y benglog wyrddlas,
blodeuo'r ymennydd gwynias yn rhosyn sidangoch mileingas
ar fron nos.

Ni bu ond ffoi
o'r deffro di-droi'n-ôl.

IV

Ar Weryd Estron Mawrth
safasom, yn drindod gnawd groendenau
ar grastir di-ddagrau-am-ddyn.

Bu chwerw gynt y tramwy o drothwy drud
i godi bwthyn siom mewn braster bro –
Adda ddaeth â'r drain.
Chwerw i ninnau gof am gleddau tân;
chwerwach i lam ein gwaed ni argoel fud
y tywod didrywydd, di-drai.

Chwe mis fu'n hunllef rygnu cytal swrth ar ffo
ac ynom gynnen yn egino'n gudd
nes glanio tu mewn i orwel mawredd Mawrth
ar lendid y fro ddihanes:
Adda ddaeth â Chain.

Ceidwad fy mrodyr, aie?
Mi glywais sawr
ymgasglu cwmwl gwaed amdanynt,
ymchwydd yr achwyn mudlosg fesul defnyn sur,
nes ffrwydro (taran corrach mellten cawr)
yn drais dialdrais,
yn gydladd ladd dau lofrudd:
tewais i.

Ofer fu inni ymluchio mewn cneuen dafl
am ymwared rhag tynged dyn.
Roedd y mêr ynom eisoes wedi madru,
a'r tri ohonom, epil y ddaear dad-i-dad,
wedi sugno swyn y gwenwyn i'n gwaed,

wedi llyncu bara halen y felltith
oddi ar arch ein hil.

V

Ar Wyneb Gwaedlyd Mawrth
rhag cerydd llwydlas fy nau gyndyn mud –
unlliw â'u gwaed y troes y tywod, dro, a'i sugno, toc, yn sych –
rhag ing, rhag golwg angau caled, rhag fy mai,
dan haul esgeulus, crwydryn fûm ar ffo.

Drwy odidoced paith didaro gwag
ymdreiddiais yn llygadrwth,
dros risgl mewnblyg Mawrth, am asennau'r llethrau llyfn,
am ffin mynyddoedd byddar, lond fy mhen
o fyd diadlais yn amgáu, bob cam, ar ôl fy nhraed.

Angof ni ddaeth o grwydro.
Ynof gwyrdd
yw gwae fy meirw i gyd, ac ynddynt hwy
ar chwâl y mae fy ngwraidd a'm rhuddin
dros gylchdaith daear goll.

Pellter ni ddetyd rwymau.
Ni bûm lân
o waed fy mrodyr; ni bûm gyfnerth; anghymodlon fûm.
Bûm i, rhag ofn, yn llofrudd: ynof i
mae collfarn fy nwy gelain eto'n fyw.

Nid oes osgoi mo'r helfa: ynof i
mae'r erlid oll; mae yn fy myw,
yn f'aros, dranc ynghudd.

VI

Dros dywod tangoch Mawrth
mae cysgodion anniddos y nos yn dynesu
i dagu fy niwrnod i.

Tenau awyr, prin gwynt . . .

Heb sŵn o unman, namyn cloc fy nghalon,
Ac, o frig twf y cysgodion,
Sibrwd oeri sydyn y tywod.

Ar ôl y Cymun

I blentyn Catholig

Ceiniog wen o fara tenau,
melys, pur ei flas, i'm genau;
ysgafn iawn ar flaen fy nhafod:
Iesu ei hun sydd wedi dyfod.

Lliw a llun a blas y bara,
nid yw'r rhain ond rhith a guddia
gorff a gwaed a pherson Iesu
wedi ei roi i'm llwyr achlesu.

Diolch, Arglwydd, am ddod ataf;
gwna fi'n gryf, y modd y'th garaf
beunydd mwy, i dyfu'n union
fel y mae orau gan dy galon.

Hydref 1961

Duw cudd, Duw ffydd

Ymbalfalaf am dy drywydd oer
er bod ffroenau fy nwylo'n feddw chwil
gan fwrlwm y llesmair gwyrddlaith yn y cof
a gwyd yn anwedd am bob ystum byd
i fflachio'n sidan wrth dasgiadau pryd a gwedd,
dan lewygu o hyd am bob rhyw sbloet ysblander
a fydd abl ennyd i ddiwallu llygad
cyn ymlithro i bant gyda'r ffrwd
heb adael ond y mwsogl aroglus
i gramennu am gerrig y rhyd.

Clustfeiniaf am hynt dy oleuni chwimwth
er fy mod yn ddall fy nghlyw
gan dipiadau brathog y cloc sydd wrthi o hyd
yn pwnio aur gwyllt i grwybrau'r cof
gan daenellu cân y wawr, liw haf, ar oledd
ar hyd a lled rhaeadrau cêl y coed;
gan blufio cân y wig, liw hydref, o'i gwrid ymachlud,
a'u blingo nhw dros nos, bob tant, ond y pinwydd byddar;
ni bydd taw, liw gaeaf, ar barabl yr afon.
Ni cheir gosteg ar y lleisiau symudliw
sy'n pefrio'n wasgaredig dan dy undod gwyddfod gwyn.

Wrth groen fy mysedd pendil wyf
ar graig dy wyneb, heb dy weld.
Ymlynaf wrthyt nerth fy nghorff
yn ddeilen dan bwysau oriog y gwynt
yn llithro, cydio, llithro.

Tachwedd 1961

Yn ystod yr Offeren

I

O flaen darllen yr Efengyl
Gair a goleuni, Fab y Tad,
Sydd am lefaru wrthym 'nawr;
Pâr i dywyllwch nos a brad
Ffoi o'n calonnau rhag dy wawr.

Tyred â'th nerth i sadio'n bryd,
Tyrd i gyfeirio gwaith ein llaw;
Dyro i ffydd a gobaith drud
Weld dy wynepryd ddydd a ddaw.

II

Yn ystod yr offrymiad
Perchennog nef a daear
a'r cyfan ynddynt sydd,
pa fodd y gall dy weision,
a wnaethost Ti yn rhydd,
fyth gael rhyw rodd i'w rhoddi
a fyddai'n offrwm gwiw
i dalu'n ôl haelioni
a roes ein bod a'n byw?

Ac eto Ti a drefnaist
fod offrwm ar ran dyn,
gan droi ein rhodd yn werthfawr
â'th werth di-ail dy hun:
Cysegra fara'n bywyd
a'n gwaith, yn llawn a llon,
i'w wneud, trwy aberth Iesu,
yn deilwng ger dy fron.

Pasg 1962

Cainc y Grawys

Os dy dad di yw ef, yn ddiau,
Fe droir wrth dy air gerrig yn dorthau.
– Troi fy newyn yn lluniaeth, nid myfi biau.

Os mab wyt ti iddo ef, yn ddi-os,
Gofyn ryfeddod i'th arddangos.
– Daw'r gwir o'r dirgel, ond aros.

Os llwyddiant a fynni, a chyfoeth,
Ymostwng i minnau, bydd ddoeth.
– Trech na'r cefnog y diddim noeth.

Mawrth 1962

I'r tresi aur ym Mehefin

Rhoesom ysgerbwd twrci i hongian wrth dy gangau
yn damaid i gadw titw-tomos-las rhag angau.

Ysgerbwd oeddit tithau'r pryd hynny, a'th wiail noethlymun
yn oer ddidaro amdanynt uwch daear esgymun.

Dyma gawod o flodeuos melyn a deflaist amdanat, mor ffel!
Dihunodd y ddaear o farw. Dihunaist tithau, am sbel.

Mehefin 1962

Ymson y Brawd Gwyn

(*wrth gofio Gruffydd ab yr Ynad Coch, ac eraill*)

Ni theimlais innau golled ar ôl brenin
na rhoi fy serch erioed ar ferch;
ond yma hefyd y mae dagrau ar gael, y mae calon,
yma hefyd y mae dyn.

Ni welais innau'r seithfed nef ar agor,
na threiddio chwaith i uffern faith;
ond os dyn gwan a fynnir, sydd a'i nerth mewn gwendid,
mae yma hefyd un.

25-xi-62

Oni chredwch-chwi?

Fe dueddwn i gredu fod y fath beth ag atomau
am fod dynion yn medru eu gwyro i greu bomiau.

O'u cnewyll ni welsom-ni ddim ond ing eu holion,
a chael o'r rheiny ddigon i sobri meidrolion.

Mae un Mab Mair yntau bellach yn anweledig,
ond fe brofem rin ei nerth ef, pe na baem mor ddiawledig.

7-xii-62

Luc 1:26-38

Daw gair Duw â gwyry dawel
i ddwyn y gwanwyn dan gêl.

Luc 1:39-56

Mair yn feichiog o'r mawredd,
A hi'n gweini'n ŵyl ei gwedd.

Video meliora proboque, deteriora sequor (*Ofydd*)

Da y gwn am deganau – maldodus
    maleisus fy mlysiau:
  â'r gwir gennyf o'r gorau,
  gwn imi ganlyn y gau.

Rhagfyr 1962

Traddodiad

Yr ochr hon i'r Caos,
rhwng dannedd yr ymachlud a min y wawr,
daw trwodd gynghanedd y sêr.

Yr ochr hon i'r Caos,
yn yr ystum niwl yn sgil y gwynt,
mae dulliau'r gwir i'w gweld.

Yr ochr hon i'r Caos,
ar donnen y geulan a'r siglennydd,
mae un troed i'r enfys yn sad.

Dyna a glywsom gan y rhai a fu yma o'n blaen.

Ciliodd y nos o'n llety.
Hel trydan y buom ar ymyl yr eangderau,
gan fynd allan i fedi lle na ddarfu inni hau.

Ni welsom ni mo'r niwl.
Rhoesom ffrwyn ar safn y gwynt
heb amcan i ble yr aem.

Ni chlywsom ni mo'r gwacter.
Rhoesom sment a phapur yn haen ar wyneb y gors
ac ymlwybro heibio i'r dibyn.

Peidiwch â dweud wrth y plant.

Hydref 1962

Sacramentum Vitae

Nid unwaith, fy Nuw, na dwywaith y gwneuthum hyn,
Yn was bach ger dy fron, dan law dy nerth,
A thrafod tân dy bresenoldeb, cân dy werth,
fel pe na bai ddim ond gwin a bara gwyn.

Tewi a wnei di, er dringo pren ar fryn
I'th ysu'n offrwm llosg ar allor serth;
Tewi, rhag i air dy gariad ysigo'r berth
A llethu dyn gan arswyd troednoeth syn.

Nid gofyn prawf yr wyf dy fod ar waith
Mewn briwsion a diferion distadl, trwy'r cyfan oll
Yn creu, yn cynnal, yn iacháu fy myd;
Dy weld na'th glywed ni feiddiwn ofyn chwaith
I'm dal rhag i'th roddion hyn fy nwyn ar goll:
Ond arnat ynddynt, trwyddynt, tyn fy mryd.

Ionor-Chwefror, '63

Pasg 1963

Piau'r bedd ym môn y bryn?
Un a grogwyd yn fawddyn,
Gŵr o'r Drindod, Mab Duw gwyn.

Piau'r bedd gwag? Nid angau.
Yma blodeuodd aroglau
Bywyd pêr cyn pen tridiau.

Piau'r byd crwn? Piau'r nef?
Câr inni o'r un cartref,
A'n dyco ni oll adref.

'Sefwch allan . . .'

Sefwch allan, farwolion,
dan amdo'r ddiarffordd ffurfafen:
Taenir nwyf tanau'r nen.

Sefwch allan, fforddolion,
ar eich traed dan hynt eich dialedd:
Daw gair y newid gwedd.

Sefwch allan, ddyniadon, i wrando.

Y Gwynt

Gwyn dy fyd-di y gwynt yn nyffryn Tywi
rhwng brwyn a bronnydd a brig clogwyni,
uwch caer a chastell ac am aur gelli,
dros borfa defaid a thrwy bentrefi
yn rhadlon gyniwair i'r man y mynni:
Gwyn dy fyd-di y gwynt yn nyffryn Tywi.

Gwyn dy fyd-di y gwynt ym mröydd Cymru
o Fôn i Fynwy, heb dennyn i'th dynnu,
a'u hadar a'u plant hyd dy hynt yn parablu,
nad yw gwifrau ffôn a chyrn teledu
ond gwefr amryliw ar donfedd dy ganu:
Gwyn dy fyd-di y gwynt ym mröydd Cymru.

Gwyn dy fyd-di y gwynt yng nghwm Tryweryn:
Yno, dy hunan, cei grychu dŵr llyn.

Mehefin 1963

Trydan

Ni bu pryd
na bu trydan yn anadl i'r byd
yn nhreigl ton dros don, gronyn am ronyn, yn troi
heb ddim siawns i'r un cymal o'r ddawns
ymysgwyd i nyddu naid heb i hwn eu crynhoi
ôl a blaen
begwn wrth begwn, haen ar haen:
eu cydio, eu treiddio, a'u cyffroi.

Awst 1963

O SACRUM CONVIVIUM

S. Tomos Acwin

O sacrum convivium
in quo Christus sumitur:
recolitur memoria passionis
    eius;
mens impletur gratia;
et futurae gloriae
nobis pignus datur.
	Dyma wledd fywiol i farwolion,
	ac ynddi Grist yn fwyd i Gristion;
	cof digoll am nerth ei
	    archollion,
	llond enaid distadl o ras cariadlon,
	llawn ddawn inni ddynion, ac ernes
	o'r a draddodes o addewidion.

Iorddonen

Plygaist i ddatod dy sandalau di dy hun oddi am dy draed
cyn cerdded i lif yr afon a sefyll yn un o'r dorf i aros dy dro.
Yn yr un afon o hyd daw dyfroedd newydd, ac o hyd.

Wyddem ni ddim mai tydi ddaeth yn un ohonom
i sefyll gyda'r milwyr a'r tollwyr a'r trueiniaid, yn un ohonom,
i'th drochi yn ffrydlif yr afon.
Daw dyfroedd newydd, newydd o hyd, yn yr un afon, yr un.

Wyddem ni ddim mai atat ti roedd ein troi, i ti ein paratoi.
Welem ni ddim fod dy drochi di, yn un ohonom, yn wahanol.
Yn yr un afon, yn newydd o hyd y daw'r dŵr.

4-x-63

Gofyn gwyrth

Edrychwch, mam,
mi wn na bu fawr o Gymraeg rhyngon ni a chithe ers cantoedd,
ac fe wyddoch chi pam;
ond erbyn hyn prin gofio wnawn-ni ei fod ef yn y neithior,
prin ein bod-ni mor siŵr hefyd taw neithior sy ar droed.

Fe wyddoch-chi, mam,
waith rydych chi wedi bod tu cefn i'r cwbl yn gweini,
fe wyddoch-chi fel mae-hi arnon-ni, a'r gwin yn pallu:
oni wnewch-chi drachefn ddweud gair wrtho-fe, dim ond gair?
Mae e'n gwybod yn well na neb
fod yma ddigonedd o lestri carreg ac o ddŵr.

1-xii-63.

Nid oes iawn gyfaill ond un

Dere mewn, gyfaill, os ca' i fod mor hy,
a gwna dy hunan yn gartrefol.
Gwnaf hynny'n llawen, gyfaill, ond gobeithio
na chei di mono' i'n ormesol.

Alla' i ddim dweud; na mentro'r siawns y byddai'r tŷ
yn wag arswydus heb dy gwmni.
Cofia taw fi fydd gen ti, fi, fydd eto'n hawlio
dy dŷ, dy hunan oll, dy gelfi.

Yr arswyd eilwaith! Felly brawd, rhieni, chwaer,
cartref a chariad fynni fod i lenwi mryd?
Beth arall? Ie, hynny i gyd.

9-iv-64

Stori fer

Pwy ŵyr pa mor hir gan yr hen gysgodion yn eu gwâl
oedd yr aros, aros,
heb bendil anadl na gyrfa gwaed
yn llanw a thrai
rhwng cof am a fu a gobaith am a ddeuai?
Yr hen ysbrydion,
y rhai a fu gynt yn gnawd a'r rhai a fu gyntaf
yn dadau a mamau i feibion a merched dynion,
na waeth ganddynt yn y gwyll fod to ar ôl to o'u tylwyth
yn ymgynnull i'r un hir lety yn unlliw a diwahân.

Bu hwyr, a bu bore newydd yn y byd uwchben,
a daeth prynhawn ymysg prynhawnau'r byw
i siglo sail y ddaear.
Isod, i fyd y meirwon, treiddiodd chwa
a ddihunodd yr atgofion un ac un:
i ddau daeth awel o'r cyntefin cyntaf oll,
aroglau glendid gardd, a gwlith, a haul;
i lawer, gwynt y deau, heli'r môr, neu lawnder maes,
neu darth o arhosfa defaid gyda'r nos;
i ambell un, fu'n frenin, arwynt ir
o ystyllod cedr cywrain, ac ystafelloedd pêr
gan fwg aroglus;
i grefftwr, dim ond sawyr chwys, blas blawd y llif,
a nawdd diwetydd cegin. Fel hyn, fel arall,
i galon yr hen freuddwydion treiddiodd awch
a'u cododd ar drywydd cof o'u cwsg.

(Adnabod gŵr a gwraig, dyfnder a dyfnder, gorff wrth gorff,
ni bu erioed mor llwyr â'r cydymdreiddio, cydymnabod nawr
rhwng un ac un ac un ac enaid Crist).

Gorffennaf 1964

Torri trwodd

Gŵr yn ymgropian dros gerrig cyfyngder
hyd orifyny blinder afonig
nes cyrraedd cwr ehangder uchaf y cwm,
a sefyll allan yn llawen i'r haul.

Dall, a ymbalfalai liw dydd am ffordd
heb na ffydd na hyder ond ar ffon,
yn cael tynnu cen, toddi llen, llenwi llygad â lliw,
ac adnabod wyneb annwyl.

Mudan gan ing anyngan,
yn fud wedyn, wedi derbyn cân
i'w lwyr oleuo tu hwnt i gyrraedd gair.

Mehefin 1964

Cofnod

Mi welais innau gadno, gefn dydd golau,
yn fflam graff ar ymyl glas fy myd,
a chefnu arno. Troes fy ffordd yn stryd,
ond fflachiodd y gweld i afael y mil ogofâu
tu cefn i'm llygaid, lle, dan lwch anolau,
cywasgwyd cof gan gof yn farwor mud
nes ffrwydro'n risial llafar, tryloyw i gyd,
a glain ei drem yng nghil fy ngolwg innau.

Yntau, o gwr ei goedwig, heb wahaniaeth
ganddo am grwt, ond edrych, a mynd heb gof
am ganfod neb arbennig ar ei hynt:
edrych, a llenwi byd, a gadael rhiniaeth
a daniai drachefn drwy'r ystrydebau dof
lygedyn o'r peth byw wynebwyd gynt.

1-iv-65

Pedair elfen

Nid yw môr ond môr: dŵr hallt
anystywallt.
Nid yw tir ond tir: tywod, cerrig, clai,
a'r môr wedi eu gadael ar drai.
Ac awyr yw awyr, chwa chwim
yn cilio heb gilio dim.
Ond beth yw tân? Tân. Ie, ac awydd anniwall
yn ysu am bopeth arall.

29-v-65

Dros amryw ohonom

Arglwydd, Dir pob gwir, gof cyn cof amdanaf;
Arglwydd, Flaguryn cryf, galon y gwir amdanaf;
Arglwydd, Gymorth byw, enaid y gwir a garaf,
    ni allaf yngan gwir, gweld gair,
    na gwneud dim byd o bwys, na bod
    ond ynot Ti.
Arglwydd, Arglwydd Dad, heb orfod chwilio, adnabuost fi;
Arglwydd Fab, fy Mrawd, i'm byd yn gnawd y daethost Ti;
Arglwydd, Ysbryd gwir, o asbri dy guriad, rho dy garu Di,
    dyro dy feddwl, enaid, dyro dy dân.

Ti wyddost, Arglwydd, am dy bobl aml hyn
mor amryfal ydym ein fel a'n fel a'n fel,
    ac opiniwn ym mhob pen
    a thwyll ym mhob calon;
mor anodd yw inni fod yn dystion i'th wirionedd
    heb fod yn bendant lle na ddylem
    ac yn amhendant lle na ddylem,
    ac yn amwys lle mynnem fod yn glir.

Un Gair a fynegai'r cyfan, o'i garu:
Ie, Arglwydd, ond yr wyt Ti'n llenwi'n byd
o'i naill gwr drwodd i'r llall, yn drefn uwch trefn,
mewn mawr a bach yn llafar, pe'th adwaenem Di.
Un Weithred a fu'n ddigon, un Athro: ie, ond
    a'th ddysg o hyd yn ennyn disgyblion,
    a'th weithred ar waith byth-a-beunydd yn ein plith,
    nid dirmyg arnat, Arglwydd, yw bwriad y rhai
    sy'n amau hyd yn oed ai Ti wyt Ti;
    nid brad, nid brad yw'r ymchwil dost am ystyr ac am iaith
    i ddweud wrth galon heddiw – Ti sy'n dweud pob dim,
    na bydded felly:
Driniwr calonnau, bydd yn gefn i'th waith, bydd farn,
agorwr, geidwad; bydd oleuni gwir,
a chadarn arnom fo dy gariad.

6-v-66

Caerfyrddin

14 Gorffennaf 1966

Arglwydd, anfeidrol Dad pob cenedl o ddynion, nerthol Dduw,
  gwyddom nad wyt yn aelod o blaid yn y byd;
Arglwydd, dragwyddol Fab un genedl, hysbys yw
  mai ar gyfuno'r holl genhedloedd y mae dy fryd;
Arglwydd, Anadl yr oesoedd, cyfiaith wyt, i'r byw,
  â thafodieithoedd daear oll i gyd –
Fe wyddost am y gongl hon lle'r ŷm ni'n bod
ers cenedlaethau: dihuna ni i'th glod.

Aberfan

Hydref 1966

Bryn eiddil, bro anniddos: bronnau'n addef.
Afon ddu ddisymwth, ymwthiol: llif dan do, to o dano.
Trais drwy ffenestr a phared: taw ar wers, ar whare.

Agwrdd hwrdd, lladd blagur magwraeth.
Ebwch sgrech, llyncu anadl cenhedlaeth.
Amddifad gwlad, mam a thad irad eu hiraeth:

Och sych hyd atat Ti, Dduw, noethi tir o'i ir gangau.
Awch nych hyd ynom ni, byw yn wyneb oes gysgod angau.
Môr dros dir, do, mynydd ar war, mwgwd ar bangau.

A fagwyd, a fygwyd.
A fu, nid yw. Och Dduw.
– Och i chwi ddynion.

Carol 1966

Ganol nos, a'r byd yn tewi,
Dyn ers oesoedd yn dihoeni
Gan ddyhead tiroedd eiddil
Am ddychweliad haul o'i encil.

Ganol nos, a'r byd yn dywyll,
Cul a gwan yw cylch y gannwyll.
Ganol gaeaf, gan hir aros,
Oer anheddau tir anniddos.

Ganol nos, a'r sêr yn olau,
I gôl y byd daeth pwnc carolau;
Ac i rewdir hirlwm diffaith
Daeth o'r diwedd wanwyn gobaith.

Ganol nos, a'r sêr yn uchel,
Daeth y wawr tu fewn i'n gorwel.
I ganol gaeaf y blynyddau
Daeth egin haf i dir calonnau.

Symffoni anorffenedig

I

Fe fu'r fforestydd hyn yn gyfannedd, un adeg, yn llawn dop
gan mor aml ynddynt ffau a gwâl, llwybr traed a nyth adenydd:
    ymlusgo, rhedeg, rhuo, tuthio, cyfarth, gwich
    yn gwau drwy'i gilydd ar y llawr, a chân o'r awyr
    byth-a-hefyd yn disgyn i glwydo yn y brig.
I mewn ac allan dros ororau'r wig
fe gedwid y pum trywydd yn fyw o ben bore hyd fin nos
gan flas ac adflas, llais ac adlais, eiliw lliw, yn mynd a dod;
ac er bod y cyffiniau'n ymollwng i gwsg gyda'r hwyr,
fe fyddai'r fforest oddi mewn yn gyforiog o fywyd hyd y wawr.
    Onid pryd hynny y deuai'r llwynogod i'w teyrnas?
    A sut arall y gallodd yr ysgyfarnog, ryw berfedd nos,
    lamu o garreg yr aelwyd i fyny drwy dwll y mwg?
Ni welai'r dylluan ragor rhwng gardd loergan a fforest –
fod, yn y fforest loergan, ardd yn tyfu drwy'i chwsg;
eithr y cŵn, y cŵn, a'u cytgan tua'r llawr,
fe wyddent hwy fod pum trywydd ar annel, ar gyd-annel yn y gwyll.

    Deliwch inni'r llygod, da chwi,
    deliwch inni'r llygod bach sy'n turio dan gerrig y mur.

Fe laniodd cân gynt o'r awyr a hedyn yn ei phig,
a'i ollwng i galon y ddaear.
Hwn a eginodd drwy wraidd y drysni ac yn llygad y llwybrau,
hwn a flodeuodd yn sawr i dynnu'r llwynogod ato ar hyd y llwybrau,
Hwn a wahoddai'r cŵn a'r cwningod a'r llygod i lawr y llwybrau;
hwn a allai dyfu'n ardd i lefaru o amgylch y llwybrau
nes troi'r fforest yn gytgan i gyd.

    Peidiwch chwithau, lygod bach, â difwyno'r egin,
    peidiwch â diffodd y gân.

II

Bysedd dŵr fesul modfedd yn ymlithro
dros gyfandiroedd y mwsogl rhwng ynys ac ynys dwmpathau;
palfau dŵr
dros wledydd yr helyg a'r masarn, hyd yng ngwasg cyffion y deri,
yn mygu meysydd y mieri oddi tanynt, a thagu'r drain;
breichiau dŵr
dros lain, dros lannerch, hyd ym mwnwgl y canghennau,
ysgwydd yn ysgwydd â'r gorwel:
daeth y dŵr i ymgorffori'n gawr didaro,
i orwedd yn fôr dros frig ystafell y fforest
ac ymdywallt yn dawel uwch aelwyd yr ardd.

Chwimwth rhwng y cerrig ac am esgyrn y coed
fu cyniwair y pysgod mwy.

Gwylan, ar oledd o dueddau haul,
ni welai rhwng gorwel a gorwel
ond ymchwydd sidan yn ymestyn, anesmwytho, gwastatáu;
ni welai fel yr âi drwy'r awyr olau haul, drwy'r dŵr
wawl halen yn wawr emrallt
i anwylo anhunedd porffor y gwymon, ac i lathru'r ardd.

Gloyw rhwng y cregyn o dan ddiwel anwel yr heli
yw ymddatod y cysgodion ysgerbwd mud.

Mewn synagog

(cymh. Ioan 6:66-69)

Aeth yr un olaf allan,
a'r dorau'n cau chwap-chwap-chwap yn ei gefn.
Clywsom ei draed yn y cyntedd ac ar y graean,
a'u colli wedyn yn sŵn tramwyaeth gyffredin y dref.

Rhyngot ti a ni yn yr hanner gwyll yr oedd gair
na wyddem ond ei guriad;
rhyngot ti a ni yn y dyfnder yr oedd dur
daufiniog ei doriad:
rhyngot ti a ni yn y distawrwydd, her
anorfod ei hagoriad:
a fynnem ninnau fynd?

1971

Gwahanglwyf

‘Nid bod y croen yn boenus, Syr, sy’n benyd.
Y diffyg poen yw’r drwg, y diffyg byw,
a’r corff yn gloff ei glyw:
bwrw blaen bys heb wybod ergyd;
llosgi troed, llusgo trwy wae heb gymryd
sylw ond o wynt braenu’r briw. Och Dduw.
Ni chlywaf ond cau amdanaf gylch afiechyd.’

‘I gleifion eraill
y rhoddaf adfer bywyd, agor byd, i ambell un,
er dangos yma bresenoldeb trech na’u pangau.
I ti, fy nghyfaill,
ni roddaf borth ond unigedd Mab y Dyn
yng ngafael angau.’

1972

Jeu d'esprit

Anaml y byddaf yn bresennol
yn y llecyn canol hwn nad lle mohono,
er nad wyf byth i ffwrdd.

Anaml yr ymgasglaf
y tu yma i stŵr y distawrwydd
yn y gell lle nad oes bod yn gaeth.

Allan y byddaf, ar wasgar hyd y lleoedd,
yn hel lleisiau, cregyn, wynebau, papurach:
eu hel, a'u colli wrth eu cael.

Ac yma'r wyf o hyd, y tu yma,
lle tardda'r byd.

1975

I amryw ddeuoedd ohonoch

Dau yn un, dyna unwyd –
Adeilad – cariad a'i cwyd:
Gwely a bwrdd ac aelwyd.

Dau yn un: cydeneinir
Dau gyfiaith, dau a gofir,
Dau rhag y gau dros y gwir.

Dau yn un llun llawenydd,
Un ffawd, un bywyd, un ffydd,
Un galon byth â'ch gilydd.

I'm gwraig

Llawer wyt, f'anwylyd, ac nid wyt neb. Fel minnau.

Nid ydym un. Ar hyd a lled bydysawd
crwydrwn heb gwrdd â'n gilydd.
Cwrddwn heb gwrdd â'n gilydd.

Nid wyt yma.
Nid wyf innau.

Llawen wyt, f'anwylyd, gwyn dy fyd. Fel minnau.

[*Efallai y dylid nodi fy mod yn ddibriod!*]

1990

Cân yr enaid

sy'n ymhyfrydu mewn adnabod Duw trwy ffydd

gan y Sant Ioan y Groes (1542-91)

Que bien sé yo la fuente que mana y corre . . .

Da y gwn i am y ffynnon sy'n ffrydio'n rhwydd
liw nos, ie, liw nos.
Tarddle iddi gwn na fu,
a hithau, gwn, mae'n darddle i bob tarddle sy,
liw nos, ie, liw nos.
Gwn na all fod dim byd mor hardd â hi,
a nefoedd a daear oll, mai yfed a wnânt o'i lli
liw nos, ie, liw nos.
Da y gwn na cheir i waelod ynddi hyd,
ac na all neb ei chroesi, nad oes ynddi ryd,
liw nos, ie, liw nos.
Nid â mo'i disgleirdeb byth i'r gwyll ynghudd,
gwn mai ohoni y deillia pob goleuni sydd,
liw nos, ie, liw nos.
Gwn fod ei ffrydiau mor gyforiog lawn
Ag i ddyfrio uffern, nef, a'r bobloedd oll â'i dawn
liw nos, ie, liw nos.
Y ffrwd a enir o'r ffynnon honno'n fythol fyw,
gwn fod ei gallu'r un mor llawn, yn Dduw o Dduw,
liw nos, ie, liw nos.
A'r ffrwd sy'n bythol ddeillio ohonyn nhw ill dwy,
gwn nad yw mewn dim yn llai na hwy,
liw nos, ie, liw nos.
Y ffynnon fythol hon, ynghudd y mae
yn y bara bywiol yma, i'n bywhau
liw nos, ie, liw nos.
Yma y saif, yn galw i'w dyfroedd wyllt a gwâr ynghyd,
ac yfed eu gwala a wnânt yng ngwyll y byd,
liw nos, ie, liw nos.
Y ffynnon fywiol hon (hon a chwenychaf i),
yn hyn o fara'r bywyd mi a'i gwelaf hi
liw nos, ie, liw nos.

1993

Wrth ddod i'r byd

(*Hebreaid* 10. 5+)

Dy eni o wraig.
Sut arall y deuet i'n plith, i fod yn un ohonom?
Egino ynddi'n ddeunydd annelwig,
ac ynot gynddelw ei delw hi a'i llun.
Blaguro'n galon, aelodau, dwylo, pen.
Blodeuo'n faban cyfan yn y gwyll cynnes, coch;
sugno bawd, rhoi cic yn awr ac yn y man,
a chysgu o hyd ac o hyd
gan fyw ar gylchlif ei gwaed
hyd nes iddi esgor arnat, ffrwyth ei chroth.

Dy eni o wyryf.
Sut arall y deuet ti?

Dy roi, o'r tu hwnt i'n hymffrost ni.
Sut arall y deuet ti yn asgwrn o'n hesgyrn, ie, yn gnawd o'n cnawd?
Nid o ewyllys cnawd, nid o ewyllys gŵr.
Isaac, fab hwyr yr addewid, nad arbedodd dy dad mohonot,
Samuel, o obaith y tu hwnt i obaith,
y gwendid cryf a'r gwiriondeb doeth.
Wele, mwy oeddet eto, mwy wyt eto na'r un,
y Gair o galon Duw i galon dyn.

Dy gloi mewn bedd.
Sut arall y dylem drin dy gorpws hwn,
ac arno friwiau chwip a drain a hoelion, a gwayw gwaywffon,
yn wag o'th waed, a'th esgyrn heb eu torri?
Dy lapio mewn aroglau pêr, mewn gwyll.

Treiglo'r maen.
Sut arall y deuai'r wawr?
Yn y bore bach datgloi'r hualau,
dyfod ag awel bêr o'r nef i'th esgyrn hyn,
dyfod â gwynt y gwanwyn ir yn ôl i'n byd.

Yr Wythnos Fawr, 1997

Caer Droea

Rhyfel gwâr oedd hwnnw, o ryfel.
Ni leddid ond ychydig o ddydd i ddydd,
ac fe losgid y rheini'n rheolaidd yn ôl y ddefod
er mwyn i'w cysgodion gael mynd i fyd y meirw.

Fe symudai'r brwydro yn ôl ac ymlaen bob dydd, yn llanw a thrai,
a phob hwyr fe giliai'r rhelyw, gweddill y diwrnod hwnnw,
bob un i'w wâl yn y gaer neu dan y nen.

Diau wrth gofio gwaith a gorchestion y diwrnod,
wrth gofio'r gwanu a'r gwaed, a threm olaf y gelyn wrth farw,
wrth flasu'r gamp hallt o ddod trwodd yn fyw
fe godai braw i fynwes:
'ai fy nhro i fydd hi yfory i gyfarfod â'm gwell yn y drin?'
Ond ymweld â hen heddwch a wnaent yn eu cwsg.

Rhyfel gwâr ydoedd, o ryfel.
Un diwrnod, fe drodd y llanw o blaid amddiffynwyr y ddinas,
a chael a chael fu hi rhyngddynt ac amddiffynwyr y llongau.
Y noson honno gwersyllodd gwŷr y ddinas ar y maes,
a chynnau eu tanau hwythau yno dan yr awyr agored
nes bod sêr ar lawr yn pefrio yn y gwyll fan hyn fan draw
yn ddrych i'r sêr uwchben.
Yng ngwyll y noson honno fe aeth ambell un yn ei gwsg yn ôl i'w fro
i fugeilio fel gynt ar fron dawel ei fynydd,
ar ganol dibryder ei nos, yng ngŵydd tanau tawel y nen.

Rhyfel gwâr, ie, ond bod ei warach.
Dro arall, daeth y llanw hyd at y muriau,
a dyna lle'r oeddynt yn ymladd yng ngolwg y gaer.
A dyna'r tro y daeth hi allan i edrych ar y maes oddi uchod,
a'r drin o dani, ac erddi;
hithau'r achos, hithau a fedrai enwi'r rhyfelwyr bob un,

arglwyddes y tes yn tywynnu fel duwies yng nghanol ei morynion,
nes bod yr henwyr, o'i gweld, â'u lleisiau gwichlyd yn tyngu
ei bod, ei bod yn werth yr ymrafael, ac eto, ac eto:
'Onid gwell fyddai ei hanfon i ffwrdd ar y llongau
a'n gadael ni yma mewn hedd?'

1999

Y tŷ hwnt

Llawen fûm, pan ddywedwyd wrthyf,
    'Awn i dŷ Duw'.
Ac yna, ar y trothwy, fe ddywedwyd wrthym:
    'Diosgwch eich geiriau a'u gadael yn y cyntedd,
    a dowch trwodd i glywed y distawrwydd llafar;
    caewch eich llygaid, caewch hwy'n dynn,
    a dowch trwodd i weld y tywyllwch amryliw;
    moeswch eich dwylo gwag, eich calonnau gwyw,
    i'w llenwi â'r hyn na welodd llygad ac na chlywodd clust.'

Aethom i'r tŷ, ac yna fe ddywedwyd wrthym:
    'Dowch i rannu bara'r boen a'r golled,
    i yfed o'r cwpan chwerw hwn.
    'Bwytewch, am fod eto ffordd i'w rhodio.
    'Yfwch, ac fel yna fe gewch ynoch ffynnon fyw.'

Addawyd inni yn y gwyll y caem ffordd i'w drigfannau lawer,
ac mai ef oedd y ffordd, ond ni welsom mohono.
Ac eto, yma yr oedd, ynom ac o'n cwmpas yn ei ehangder ef ei hun.
'Gwyn eu byd y rhai heb weld a gredodd.'
'Gwyn eu byd y rhai heb glywed a wrandawodd.'

2001

I Aine yn ddeunaw oed

Dawn, Áine, fyddo'r deunaw, – cân y wawr,
cân aeres yr alaw:
eled dy gân yn hylaw
i ddydd yr einioes a ddaw.

I PJD yn ddeugain

Ffy bywyd, a phwy biau – olion oes
lawn o hwyl a blodau?
Daw eto'r adeg orau
â'i ffrwyth, at fyw a pharhau.

Tre-gib: cof am a fu

Adwaen dŷ yn y deau, – un a'i lawnt
　　a'i lyn a'i berllannau:
　yno bûm awr heb amau
　mai ber oes roedd am barhau.

Lle bu'r tŷ, llwybrau tawel – cwningod
　　dan gawod ac awel;
　yn y cof hen ddiliau cêl
　yn ir tu hwnt i'r gorwel.

1996

I'r Tad Teyrnon Williams

o'i urddo'n offeiriad, 7 Hydref 2000:

Yn ddolen dan ei ddwylo, – dan ei lais,
dan ei lw'r wyt eiddo:
hynt rhwydd it bellach trwyddo
ym mywyd ei Ysbryd O!

I Gwenllïan Roberts-Knighton a'i gŵr Donald

ar eu hymadawiad ag Aberystwyth (2001)
y ddau yn uchel eu parch yno ac ym mhob man:

Law yn llaw â Gwenllïan – a Donald
daioni ddaw allan;
daioni Duw ei hunan
o'i ras, a ddelo i'w rhan.

Taizé

I ganol y canu daw calon y gân,
alaw ar ôl alaw'n meithrin tawelwch,
ymadrodd ar ôl ymadrodd yn mydru peth mwy,
ac ust yn magu ystyr.

Confitemini Domino –
diolchwn i ti am mai da wyt;
diolchwn i ti am mai ti wyt,
yr un sydd, y trugarog, yr araf i ddigio,
rhoddwr bod, gwreiddyn pob da;
agorwn iti, rhown groeso iti,
i'th adnabod yn y gwyll, yn ôl ein gallu;
gan wrando yn y distawrwydd am dy lais.

Veni, Sancte Spiritus –
awel dawel anweledig, tyrd,
tyrd rhwng anadl ac anadl,
tyrd uwchben y dyfnder ac o dan y boen;
tyrd rhwng mêr ac esgyrn, tyrd â'th dân
i buro'r aur, i hollti'r graig,
i dorri – o'r tu hwnt i'r twyll – ein syched am y gwir.

Christe Salvator, filius Patris, dona nobis pacem –
Er dy waed, er dy adael gan dy Dad
i grwydro'r byd yn un ohonom,
er iti wybod beth sydd ynom –
gan iti farw mewn ing, gan iti drechu angau,
gan iti fynd â ni i ŵydd dy Dad,
dyro hedd, ie, dyro dangnefedd.

2002

O'r dyfnder

Ton ar don tua'r tir yn toi
rhyngof i a'r lan. A'r dŵr o danaf ac amdanaf,
nofio a wnaf, a galw.
Acw'r wyt, ymhell, ac yma'r wyt hefyd, yma
yn f'annog a'm cymell i gyd-fynd â'r don,
bob ton a'i chrib, hyd at ei thorri
mewn ewyn a'i thynnu yn ôl
i orffwys nes codi'n grib eto –
Fy nghymell i gyd-orffwys bob tro, a chyd-nofio
gan nesáu bob cynnig at y lan
lle'r wyt ti.

2003

Laudate Dominum

Yr un nad oes mo'th enwi;
yr un nad oes mo'th weld a byw;
yr un na ellir meddwl am dy fwy –
  atat ti rhaid codi cân.
Yr un sy'n cyffwrdd â'r mynyddoedd a hwy a fygant,
  gan lawenhau yn dy dir a'th fôr a'r cwbl sydd ynddynt,
  gan orfoleddu yn ehangder dy sêr;
yr un a roes yn yr anialwch berth ar dân
  gan ing dros argyfwng dy bobl,
yr un oeddet, i'th glywed yn sŵn y distawrwydd,
  i'th weld yn nhywyllwch y nos
  dan y sêr yn cysgu gyda'th gyfeillion yng ngwres y tân,
  i'th weld yn rhodio'r ffyrdd o Galilea i Jerwsalem.
Yr un a alwodd ar dy Dad o ganol ing
  a chodi'n fyw, yn fywyd:
yr un ddoe a heddiw ac yfory oll i gyd.

2003

Omnes gentes

Yr un, o'r tu hwnt i'r miloedd enwau
 sy'n denu dynion o bob llun a lliw;
yr un trugarog, y galon dyner sy'n tosturio
 y tu mewn i angau, loes a briw;
yr un sy'n caru y tu mewn i bob adnabod
 gan adnabod y tu mewn i bob rhyw gur;
yr un sy'n deall, yn allwedd i bob breuddwyd
 ac yn goron ar bob ymdrech bur –
nid eiddom ni mohonot, nage; ti
yw craidd dy holl ehangder, ti ym mhob man,
ti bob amser, ti a'n piau ni.
Lle bo grawn gwirionedd,
lle bo gwin llawenydd,
lle bo cariad a thynerwch, yno'r wyt
yn creu, yn cynnal, yn iacháu ein byd.
 Atat ti rhaid codi cân
 trwy bob anwybod dynol, atat ti,
 â phob rhyw ystum bywyd, pob dyheu,
 â phob rhyw anadl, pob cydnabod, pob ymestyn llaw.

2004

Nada te turbe

Nada te turbe, *nada te espante,* *todo se pasa,* *Dios no se muda,* *la paciencia* *todo lo alcanza;* *quien a Dios tiene* *nada le falta:* *solo Dios basta.*	Na fydded i ddim dy gyffroi, i ddim dy frawychu; mynd heibio wna'r cwbl, ni wna Duw newid byth; hir ymaros sydd yn cyrraedd pob nod; ond bod Duw gan ddyn ni fydd arno eisiau dim: Duw ei hunan, digon yw.
Santa Teresa de Avila	Cyf. MJF

Derbyn bod

Gennyf yr wyt, gyda mi; a minnau,
hebot nid wyf i ddim.
Heb dy weld na'th glywed,
yn y distawrwydd dy glywed a wnaf
a'th weld yn y gwyll.

Gennyt ti beth wyf? Dim oll, dim yw dim,
pe na bai hyn:

cyn fy mod, cyn bod cof ond dy gof di –
nad cof mohono ond canfod,
nad canfod mohono ond creu –
gennyt yr wyf, gyda'r sêr, gyda'r gwacter,
gyda'r addo mân a'r addo mawr, gyda'r goleuni,
gyda'r hedynnau a'r genynnau,
gyda'r ffrwydro a'r twf a'r amlhau.

2006

Tadolaeth

[*cymh.* Ioan 5:19-23]

Dy drem, dy law, yn ateb graen y pren
a'i drin yn ôl y gofyn, fel y gwnâi dy dad
trwy gydol dy lencyndod, heb fawr ddweud
ond gwneud a dangos, 'gwna fel hyn, ie, ac fel hyn',
hyd nes i ti wneud yn gyffelyb heb iddo ef argymell dim
a tharo hoelion ar eu pennau, yn ei lle bob un.

Dy drem cyn hynny, dro,
wrth ddysgu dy lythrennau cyntaf –
ALEPH, *BETH* –
yn syllu gyda gwên i'w wyneb ef
o adnabod y sŵn a'i synnwyr –
ABBA, dad –
gan ddechrau dirnad eto ragor
y tu mewn i'w dadolaeth yntau a'r tu hwnt.

2006

CYFIEITHIADAU

Ag Críost an síol

(o'r Wyddeleg)

Crist biau'r hau,
Crist biau'r medi,
    I ydlan Duw cyweinier ni.
Crist biau'r môr,
Crist biau'r pysg,
    I rwydau Duw cynuller ni.
O dwf hyd oed,
Ac o oed hyd angau,
    O Grist, dy ddwylo drosom ni.
O angau hyd derfyn
Nad terfyn ond eildwf,
    Ym Mharadwys y Gras cynhalier ni.

(20-iii-1989)

Magwraeth

Hesiod, *Tasgau a dyddiau* 293, 295-7
(a ddyfynnir yn *Moeseg Nicomachaidd* 1095b10).

Gorau un y gŵr a all
ddyfod ei hun i ddeall;
glew ŵr a goelia arall
o'i gael i'w gynghori'n gall;
diwerth nad ydyw'n deall
nac er hyn yn canlyn call.

'Gweddi ar Aphrodite'

SAPPHO *Fr.* 1

Gywreinsedd Wener anfarwol, gyfrwys dy hud,
ferch i Iau goruchaf, ymbil â thi a wnaf,
â hiraeth a loes na threcha, na ladd,
        Arglwyddes, mo'm calon;
na: tyrd ataf yn awr os gwnaethost erioed dro arall
glywed o bell gri fy llefain
a gadael tŷ dy dad i ddod ataf
        yn dy gerbyd aur,
a'th adar chwimwth teg o dan yr iau
i'th gyrchu i dueddau daear ddu
â'u chwyrn adenydd oddi ar entrych nef
        drwy'r awyr ganol
nes glanio'n glau; a thi, fendigaid,
a gwên ar dy wynepryd anfarwol,
gofynnit beth a ddaeth arnaf eto,
        i beth eto y galwn arnat,
pa beth orau'n awr a geisiwn i mi fy hun
o'm calon wallgof? "Pwy eto mae Perswâd
i'w gyrru yn ôl i'th serch? Pwy eto, Sappho,
        sy'n gwneud â thi gamwri?
Oblegid os ffoi y mae, chwap dy erlid y bydd;
os gwrthod rhoddion, hi a dry i'w rhoi;
os gwrthod serch, yn fuan ei serch a rydd,
        ie, er ei gwaethaf."
Tyrd ataf eto'n awr, a'm gollwng o'm gofal blin;
dwg i ben y cwbl y deisyfa fy nghalon ei gwblhau,
a thi dy hunan, feistres, yn y gad
        bydd yn gymorth im.

Y llwynog a'r draenog

[Archilochos Fr. 177]

Gan y llwynog aml gynllwynion a geir,
  aml gast, tric, ac ystryw.
Gan y draenog ni cheir ond yr un hen ateb,
  atal egr unigryw.

Anffydd

[o'r Groeg; cymh. *Gwladwriaeth* Platon, 383ab (cyf. D. Emrys Evans, 1956): 'Ni chanmolwn . . . y darn yn Aeschylos, lle y mae Thetis yn sôn am Apolo yn canu yn ei phriodas ac yn darogan llwyddiant ei phlant:

"Nawdd nef a addawodd i ni,
Henoed ac iechyd heini;
Fy ffawd â'i gathl a ddathlai
A'n llon hynt, a'm llawenhâi.
Diau o'i enau inni
Geiriau di-som, gredais i,
Ddeuai'n hawdd i ddewin hy.
Ond hwn, a arfollwn felly,
Hwn, er ei eiriau arab
I mi, lladdodd hwn fy mab." ']

Ym mhriodas Thetis a Peleus fe safodd Apolo ar ei draed
wrth fwrdd godidog y neithior, a llongyfarch y ddau
am y blaguryn a godai o'u huniad.
Meddai ef: Ni chyffwrdd fyth afiechyd ag ef,
ac fe gaiff hir einioes.

Yr oedd Thetis yn llawen iawn o'i glywed,
am fod gair Apolo'n broffwydoliaeth
wir bob cynnig (hynny, hysbys oedd)
ac yn ei golwg hi yn ernes dros ei phlentyn.

Ac wrth i Achileus brifio, a'i harddwch
yn destun clod Thesalia achlân,
yr oedd Thetis yn cofio gair y duw.

Eithr un diwrnod daeth henwyr â newyddion,
a dweud wrthi am ladd Achileus ger Caer Droea.
A rhwygodd Thetis ei gwisgoedd porffor cain,
a diosg oddi amdani ei breichledau a'i modrwyon
a'u lluchio i'r llawr.

Ac yng nghanol ei galar cofio'r hen air a fu,
a holi, holi beth y bu Apolo ddoeth yn ei wneud,
ble y bu hwnnw'n tramwy,
y bardd a'i sgwrs ragorol wrth y byrddau,
ble ar ei daith y bu'r proffwyd
pan laddwyd ei mab ym mlodau ei ieuenctid.

Atebodd yr henwyr iddi ei fod ef,
Apolo ei hun,
wedi disgyn i Gaer Droea,
ac mai ef, gyda'r Troeaid, a laddodd Achileus.

Konstantinos P. Kafaffis